ᐅᑭᐅᖅᑕᖅᑐᒥ ᓴᓇᓯᒪᔪᑦ
UKIUQTAQTUMI SANASIMAJUT
ARCTIC STRUCTURES

ᑎᑎᖅᑐᒐᖅᑐᖅ

ᐋᓕ ᕼᐃᓐᓯ

TITIQTUGAQTUQ ILLUSTRATED BY

Ali Hinch

ᐃᒡᓗ

iglu

house

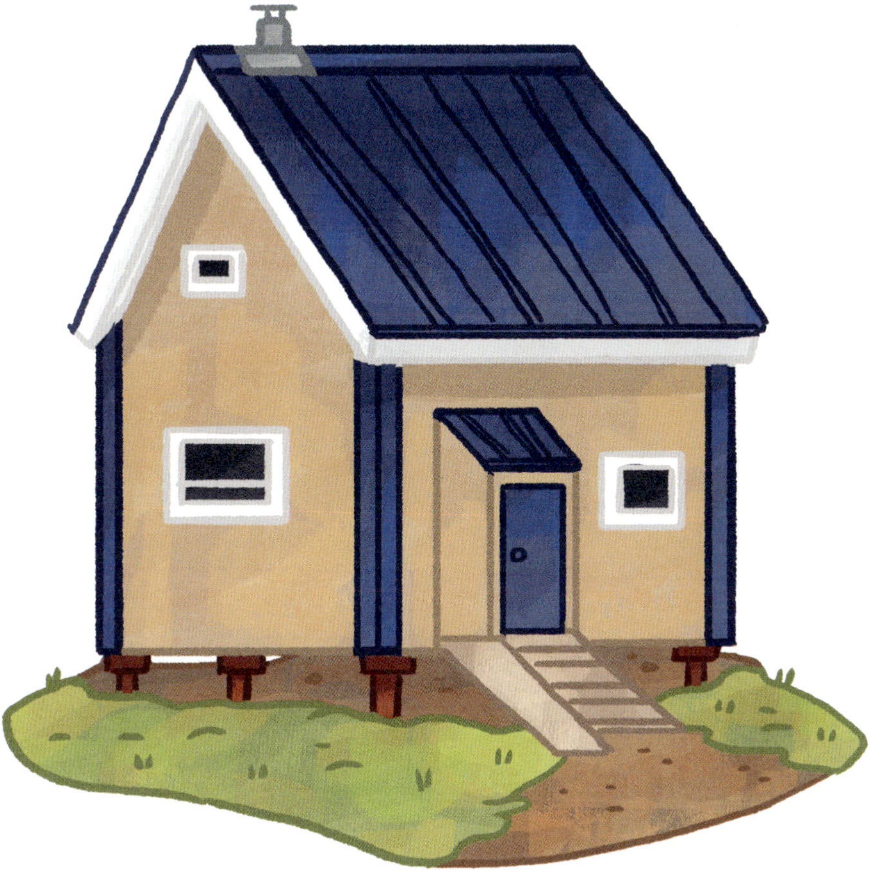

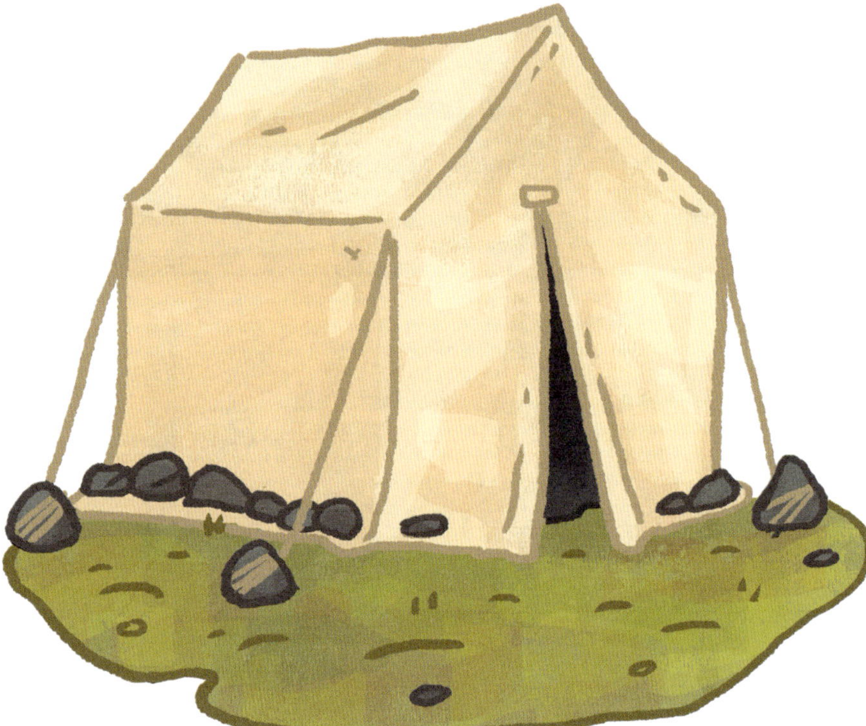

ᑐᐱᖅ

tupiq

tent

ᐃᒡᓗᕕᒐᖅ

igluvigaq

iglu

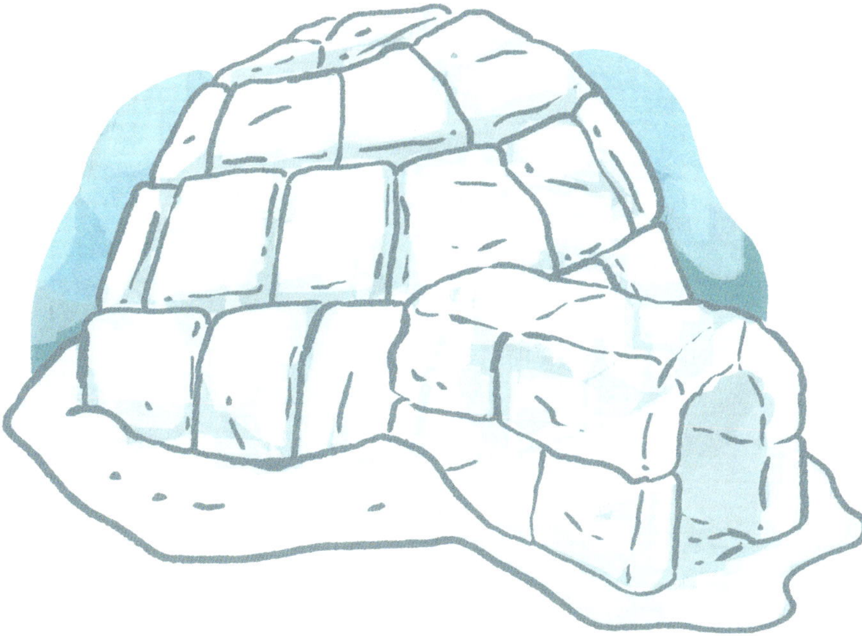

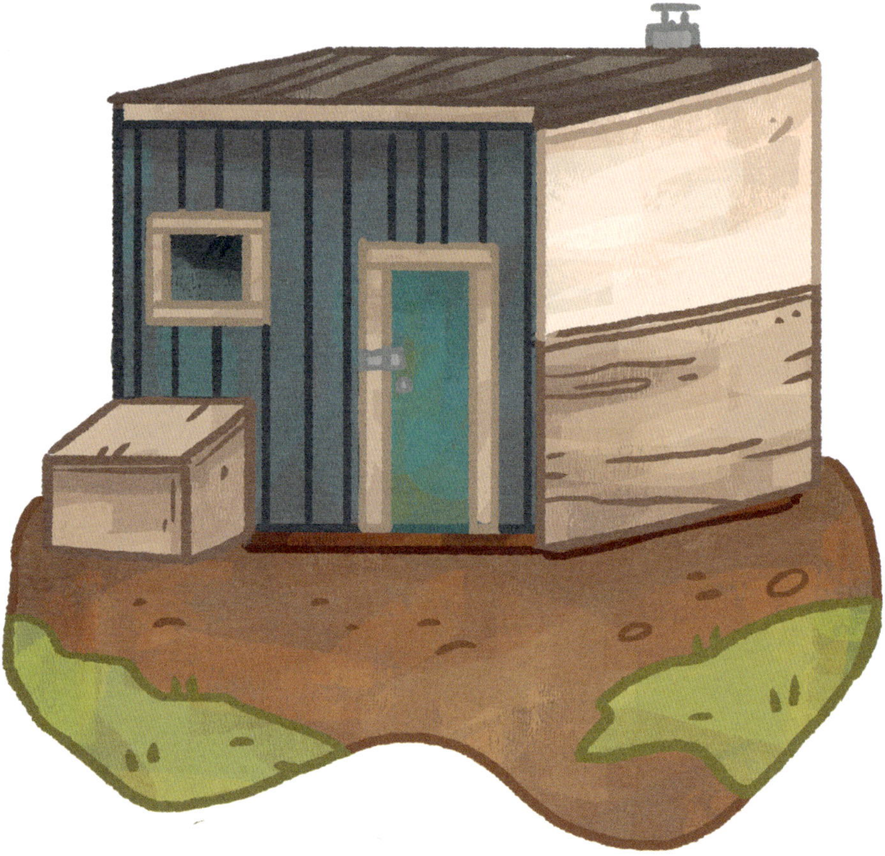

ᐃᒡᓗᕋᓛᖅ

igluralaaq

cabin

ᐃᓄᒃᓱᒃ

inuksuk

inuksuk

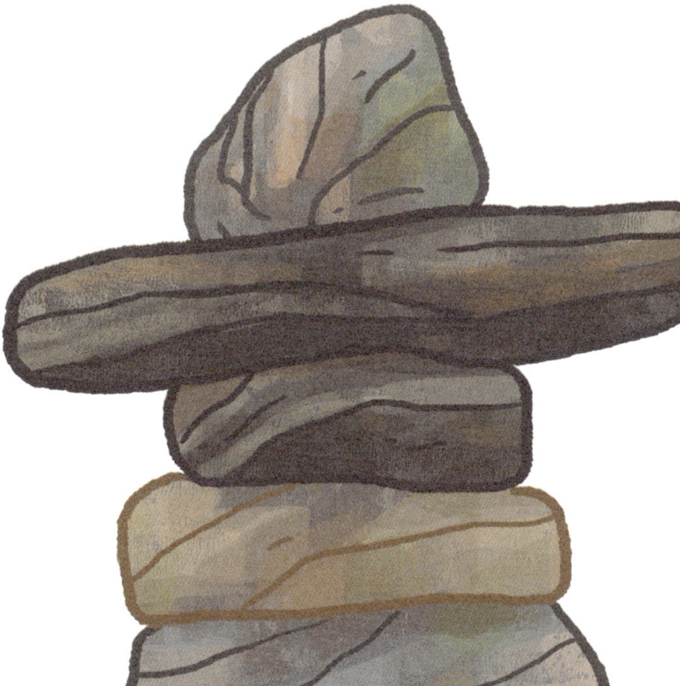

Nunavummi